Sergio Bambaren
Samantha

SERIE

PIPER

Zu diesem Buch

Wie wichtig und wunderschön es ist, einen Freund zu haben, erlebt Samantha zum ersten Mal mit Delphi, dem jungen Delphin. Als Einzelgängerin fühlt sich das Mädchen oft unverstanden. Da taucht Delphi aus dem Meer auf und verändert plötzlich ihr Leben. Denn er nimmt Samantha mit auf eine unvergeßliche Reise ins offene Meer. Dort begegnen sie seinen Freunden, die ihr mit geheimnisvollen Botschaften den Sinn und das Glück wahrer Freundschaft enthüllen. Ein Buch für alle großen und kleinen Kinder, für alle, die Delphine lieben, und für alle, die wissen, wie schön es ist, sich gern zu haben. Eine bezaubernde poetische Geschichte mit einfühlsamen Illustrationen der mehrfach ausgezeichneten amerikanischen Künstlerin Michele Gold.

Sergio Bambaren, geboren 1960 in Peru, Studium in den USA. Seine Suche nach der perfekten Welle führte den passionierten Surfer um die ganze Welt. Bambaren lebt heute als Schriftsteller in Lima / Peru. Auf deutsch erschienen außerdem seine Bestseller »Der träumende Delphin«, »Ein Strand für meine Träume« und »Das weiße Segel«.
Michele Gold, geboren 1961, lebt als Malerin und Illustratorin in den USA und schwimmt selbst leidenschaftlich gern mit Delphinen.

Sergio Bambaren
Samantha

Eine Geschichte über Freundschaft

Illustriert von
Michele Gold

Aus dem Englischen von
Susanne Janschitz

Piper München Zürich

Sie können Sergio Bambaren direkt erreichen über
sbambaren@compuserve.com

Von Sergio Bambaren liegen in der Serie Piper vor:
Der träumende Delphin (2941)
Ein Strand für meine Träume (3229, 3706)
Samantha (3611)
Der Traum des Leuchtturmwärters (3643)
Das weiße Segel (3711)

Ungekürzte Taschenbuchausgabe
Piper Verlag GmbH, München
1. Auflage September 2002
2. Auflage Oktober 2002
© 2000 Sergio Bambaren
© der deutschsprachigen Ausgabe:
2000 Sabine Giger Verlag, Schweiz
© der Illustrationen: 2000 Michele Gold
Umschlag/Bildredaktion: Büro Hamburg
Isabel Bünermann, Julia Martinez, Charlotte Wippermann
Umschlagabbildung: Michele Gold/Anglenet Forrestville, CA
Foto Umschlagrückseite: Peter von Felbert
Satz: Verlagsservice Pfeifer, Germering
Druck und Bindung: Clausen & Bosse, Leck
Printed in Germany   ISBN 3-492-23611-1

www.piper.de

Wahre Freunde erleben alles gemeinsam,
die zauberhaften Momente,
die das Leben uns schenkt,
und auch die einfachen Dinge,
die jeden Tag so lebenswert machen.
Geh, wohin dein Weg dich führt,
und sag es jedem!

I

Samantha ging wieder einmal über den Strand zu der kleinen Bucht, die sie so sehr liebte.

Sie blickte wie schon oft zum Himmel und hoffte, eine Antwort auf all die Fragen zu finden, die sie immer wieder beschäftigten.

Sie erreichte das Ende der Bucht, wo ein schöner Felsen mit hohen Palmen den Strand vom Rest der Küste abteilte.

Samantha wurde in einem wunderschönen Haus geboren, das ganz in der Nähe dieses schönen Strandes lag.

Schon als kleines Mädchen fühlte sie sich zum Meer hingezogen. Nach der Schule erledigte sie ihre Hausaufgaben so schnell wie sie nur konnte. Dann zog sie sich um und rannte zum Strand, nur um dem Meer nahe zu sein. Dort blieb sie meistens bis zum Sonnenuntergang und bewunderte die wechselnden Farben der Wolken, während die Sonne langsam unterging.

Samantha war ein ganz besonderes Mädchen. Deshalb wurde sie von anderen manchmal nicht richtig verstanden. Anstatt auf Parties zu gehen, saß sie lieber am Strand und schaute der Brandung zu, die an die zerklüfteten Felsen schlug. Natürlich traf sie sich gelegentlich mit ihren Schulkameradinnen, spazierte durch die Stadt, ging ins Kino oder ein Eis essen. Aber nichts war für sie vergleichbar mit dem Gefühl, am Meer zu sein.

Samantha liebte die vielen kleinen Wunder, die sie am Strand fand. Möwen, die kreuz und quer über den Himmel zogen. Krebse, die am Strand ihre Löcher bohrten und vorsichtig den Sand aus der geheimnisvollen Tiefe wegtrugen.

Samantha hatte keine Geschwister. Das machte ihr eigentlich nichts aus. Und doch träumte sie immer wieder davon, eines Tages jemanden zu treffen, mit dem sie all die kleinen Wunder der Natur teilen könnte und all die Lebewesen, die am Strand in ihrer eigenen Welt lebten, entdecken würde. Sie hatte sich zwar an die Einsamkeit gewöhnt und doch …

… wenn sie nur einen richtigen Freund finden würde …

II

Der Winter brachte dieses Jahr schwere Stürme. Viele Lebewesen, die sich in der Nähe von Samanthas Haus aufhielten, mußten in weit entfernte Gegenden ziehen.

Als schon einige Vögel und auch andere Tiere fort waren, geschah etwas Unerwartetes. Durch die heftigen Stürme veränderten sich die Meeresströmungen und brachten wärmeres Wasser in die Bucht. Vögel, Fische und andere Tiere, die in kälteren Gewässern lebten, zogen weiter.

Aber die Natur ist gerecht, und früher oder später findet jedes Lebewesen seinen Platz auf dieser Welt.

Neue Vogelarten bevölkerten die Bucht vor Samanthas Haus, aber es gab nicht nur neue Vögel ...

Mit der warmen Strömung war eine Schar Delphine angekommen, die beschlossen hatten, hierzubleiben.

Genau vor Samanthas Haus.

Für viele wäre das ein Zufall gewesen. Aber für ein ganz besonderes Mädchen und für einen ganz besonderen Delphin steckte eine ganz bestimmte Bedeutung dahinter ...

III

Delphi war der jüngste von fünf kleinen Delphinen, die zu dem Schwarm gehörten, der sich direkt vor Samanthas Haus niederließ.

Er war erst ein Jahr alt. Doch er war anders als die übrigen Delphine in seinem Alter. Ihn interessierte die Welt um ihn herum mehr, als mit seinen anderen Kameraden zu spielen. Schon als er noch ganz klein war, erforschte er gern die Umgebung. Ihn faszinierten schon immer die vielen anderen Tiere, die mit ihm zusammen im Meer lebten. Anstatt immer nur bei seinem Schwarm zu bleiben, versuchte er, sich mit Hummern, Meeresschildkröten, Manta-Rochen und vielen anderen Lebewesen des Meeres anzufreunden.

Diese waren zwar sehr freundlich zu Delphi, suchten ihren Platz aber trotzdem nur bei Ihresgleichen.

Für Delphi war das unverständlich. Wenn es schon so eine große und wunderbare Welt zu entdecken gab, warum konnte er sich dann nicht mit Tieren anfreunden, die nicht zu seiner Familie gehörten? Und obwohl jeder nett und höflich zu Delphi war, gelang es ihm nicht, eine engere Freundschaft zu knüpfen. So verbrachte er die meiste Zeit damit, die Welt um ihn herum zu entdecken, und er war immer auf der Suche nach etwas Interessantem und etwas Außergewöhnlichem.

Delphi merkte, daß der Platz, den sein Schwarm ausgewählt hatte, dicht an der Küste lag. So nahe war er dem Land noch nie gewesen! Er beschloß, die neue Umgebung zu erforschen. Er erinnerte sich, wie lange der Schwarm schon auf der Suche nach warmen Gewässern war, weil das Atoll, in dem alle vorher gelebt hatten, zu kalt geworden war. Und jetzt waren sie zufrieden, da es hier genügend Fische als Nahrung gab.

Aber Delphi war sehr neugierig. Wie sah es wohl an der Küste aus? Auf dem offenen Meer mußte er nur den Kopf aus dem Wasser heben und konnte einen schönen Sonnenuntergang sehen. Nachts sah er die Sterne am Himmel und tagsüber die Wolken. Und er liebte den Regen, weil es dann manchmal, wenn er Glück hatte, einen wunderschönen Regenbogen zu bestaunen gab.

Delphi streckte seinen Kopf aus dem Wasser. Da sah er das erste Mal in seinem Leben einen Strand!

Er konnte gar nicht glauben, daß das Meer hinter der Brandung einfach aufhörte. Aber es war so! Das erstaunte Delphi sehr. Was war wohl hinter dem Strand? Eine andere Welt? Das Leben ist wirklich voller Überraschungen, dachte er.

Und dann, im nächsten Augenblick, blickte er zum Strand und sah ein wunderschönes Wesen.

Es kam aus einem Haus, wo es anscheinend wohnte, und lief direkt über den Strand.

Direkt auf ihn zu …

IV

»Delphine! Delphine!« rief Samantha. Sie konnte gar nicht glauben, was sie sah.

Direkt vor ihrem Haus schwamm ein Schwarm Delphine. Es war unglaublich!

Es waren ungefähr zwanzig oder dreißig. Samantha setzte sich an den Strand, sah ihnen zu und genoß den Moment in ehrfürchtigem Staunen.

Samantha merkte zuerst nicht, daß einer der Delphine sie anstarrte und herauszufinden versuchte, wer dieses wunderbare Wesen war.

Plötzlich erblickte sie Delphi.

»Hallo, Delphin«, sagte Samantha. »Kannst du sprechen?«

Delphi wußte zuerst nicht, ob er antworten sollte.

Der Schwarm hatte inzwischen genug gefischt. Es war Zeit, wieder ins Meer hinauszuschwimmen.

Aber Delphi blieb in der Nähe des Strandes und schaute Samantha an.

Zum ersten Mal in ihrem Leben war Samantha einem Delphin nahe; und das nicht nur, weil sie direkt vor ihm stand. Nein, auch in Gedanken war sie nahe bei ihm. Beide taten das Gleiche, beide schauten sich an und vergaßen dabei den Rest der Welt.

Delphi nutzte die Gelegenheit.

»Wie heißt du?« fragte er das Mädchen.

»Ich heiße Samantha. Und du?«

»Delphi.«

»Das ist ein schöner Name«, erwiderte Samantha. »Mußt du nicht wieder zu deinen Freunden zurück?«

»Und du?«

»Eigentlich nicht«, sagte Samantha. »Ich liebe den Strand und das Meer, aber meine anderen Freunde machen sich nicht so viel daraus.«

Delphi lächelte. »Mir geht es genauso. Ist es nicht wunderbar, immer etwas Neues zu entdecken und der Natur nahe zu sein? Mir geht es wie Dir, Samantha. Hier fühle ich mich so frei! Sollen wir uns morgen wieder hier treffen, um die gleiche Zeit?« fragte Delphi.

»O ja, sehr gern«, sagte Samantha.

»Gut, abgemacht. Ich muß jetzt zu den anderen zurück. Aber morgen warte ich genau wieder hier um dieselbe Zeit«, versprach Delphi.

»Und ich warte auf dich«, sagte Samantha.

»Also dann, bis morgen.«

Samantha und Delphi machten sich beide auf den Heimweg. Aber dann, nur für einen Augenblick, drehten sich beide noch einmal um und wußten, daß etwas ganz Besonderes sie verband.

Das erste Mal im Leben spürte Samantha, daß sie einen richtigen Freund gefunden hatte.

Und Delphi spürte dasselbe.

V

Am nächsten Nachmittag eilte Samantha von der Schule nach Hause, zog ihren Badeanzug an und rannte zu der Stelle, wo sie ihren neuen Freund kennengelernt hatte.

Delphi wartete bereits auf sie. »Möchtest du mit mir zu meinem geheimen Strand kommen?« fragte Samantha. »Klar!« sagte Delphi.

Es war ein wunderschöner Strand, bedeckt mit Muscheln, in den unglaublichsten Farben, die man sich nur vorstellen kann.

»Mein geheimer Strand ist voller wunderbarer Muscheln«, sagte Samantha.

»Ach ja, und da ist auch noch ein schönes Gezeitenbecken. Es wird von großen Felsen vor der Brandung geschützt. Aber von der leichten Flut wird es erreicht.«

»Und was sieht man darin?« fragte Delphi.

»Oh, man sieht kleine Fische. Und Krebse, die sich in den Felsspalten verstecken, aber auch Algen, die in der Strömung Ballett tanzen.«

Wegen der Felsen konnte Delphi nicht in das Becken hinein. Samantha beschrieb Delphi alles, was darin zu sehen war. Beide merkten, wie wichtig es war, die Dinge mit den Augen eines Freundes zu sehen, weil man dadurch vieles lernen konnte.

Samantha gab ihrem Freund eine schöne Muschel.

»Danke, Samantha«, sagte Delphi. »Warum nimmst du dir nicht auch eine Muschel? Vielleicht hörst du ein Geheimnis, wenn du sie nahe an dein Ohr hältst.«

Samantha tat, was Delphi ihr geraten hatte. »Ich höre nur das Rauschen des Meeres«, sagte Samantha.

»Versuch es bitte noch einmal«, erwiderte Delphi.

Und dann hörte sie es.

Freunde treten in dein Leben
und verlassen dich wieder nach einiger Zeit.
Sie nehmen an deinem Leben teil,
werden zu wahren Freunden und hinterlassen
wunderschöne Spuren im Sand.

»Danke, Samantha. Nun wäre ich froh, wenn du die Muschel wieder dahin zurücklegen würdest, wo du sie gefunden hast.«

»Warum?«

»Weil alles und jeder seinen nur für ihn bestimmten Platz auf der Welt hat«, sagte Delphi. »Ich möchte diese Muschel lieber an diesem schönen Strand besuchen und sie nicht irgendwo mit hinnehmen, wo sie wahrscheinlich nicht so kostbar glänzen würde wie hier. Außerdem würde sie dann wahrscheinlich ihren Zauber verlieren, nicht wahr?«

»Du hast recht«, sagte Samantha. »Manchmal müssen wir die Dinge so lassen, wie sie sind, und sie einfach nur bewundern, weil ihre Schönheit uns Freude macht.«

Samantha drehte sich zu Delphi um. »Danke, daß du mir gezeigt hast, wie schön eine Muschel erzählen kann.«

»Es war mir eine große Freude«, sagte Delphi und lächelte. »Das ist ein Geschenk für meine Freundin Samantha. Es macht mich sehr glücklich. Weißt du auch, warum?«

»Warum?« fragte Samantha.

»Weil du glücklich bist.«

VI

Die Freundschaft zwischen Samantha und Delphi wurde immer fester.

Beide trafen sich oft an Samanthas geheimnisvollem Strand. Sie lernte, allen Muscheln zuzuhören. Und jede von ihnen hatte etwas Schönes zu erzählen.

Eines Nachmittags, nachdem sie im Sand mit den Krabben gespielt hatten, hob Samantha wieder eine der magischen Muscheln auf und legte sie an ihr Ohr:

Bedenke, daß ein Freund glücklich mit dir ist,
wenn auch du glücklich bist.
Neid wohnt nur in den Herzen jener,
die dir dein Glück nicht gönnen,
das sind keine wahren Freunde.

Samantha lächelte, aber ihr Lächeln war wehmütig.

»Warum bist du traurig?« fragte Delphi.
»Ich weiß es nicht.«

»Komm, sei ehrlich. Ich werde es niemandem verraten. Das ist ein Delphin-Ehrenwort!«

»Gut«, sagte Samantha. »Manchmal ist es schwer für mich zu verstehen, was wir von den Erwachsenen lernen. Ich gehe gern in die Schule, mag meine Lehrer und meine Schulfreunde, aber wir lernen dort diese ganzen Geschichten über den Krieg und über Menschen, die sich bekämpfen. Dann höre ich, was diese schönen Muscheln hier zu sagen haben, und denke, mein Gott, das Leben ist doch unglaublich schön! Wie können die Menschen manchmal nur neidisch auf das Glück anderer sein?«

Delphi stimmte ihr zu. »Ja, Samantha. Ich weiß auch nicht, warum das passiert. Weißt du, das ist eine schwierige Sache.«

Plötzlich hatte Delphi eine Idee.

»Samantha, möchtest du gerne mit mir kommen? Wir könnten auf die Reise gehen und meine Freunde im Meer besuchen. Vielleicht wissen sie ja eine Antwort auf deine Fragen. Wir könnten spielen, tanzen, lachen und glücklich sein!«

»Meinst du?« fragte Samantha.

»Aber natürlich. Du mußt keine Angst haben, Samantha. Wenn du dich fürchtest, kannst du dich einfach an meiner Rückenflosse festhalten. Laß uns zusammen durch die Meere ziehen, in ein schönes Wunderland.«

Delphi wartete einen Moment.

»Komm bitte mit, Samantha.«

»Wohin?«

»An einen verzauberten Ort, wo wir beide so sein können, wie wir wollen.«

»Aber was werden meine Eltern sagen«, zögerte Samantha.

»Mach dir keine Gedanken, Samantha. Wir sind bald wieder da. Die Erwachsenen sind manchmal so beschäftigt. Du wirst wieder zurück sein, bevor sie überhaupt merken, daß du weggewesen bist.«

»Also gut«, sagte Samantha. »Ich freue mich, mit dir zu kommen. Und weißt du auch, warum?«

»Warum?« fragte Delphi.

»Weil du mein Freund bist und ich dir vertraue …«

VII

So schwammen beide in das weite Meer hinaus. Samantha hielt sich vorsichtig an Delphis
Rückenflosse fest.

Zuerst war sie ängstlich. »Du mußt keine
Angst haben«, sagte Delphi. »Ich bringe dich
zu meinen Freunden im Meer und du wirst er-
kennen, daß die Dinge nicht immer so sind,
wie man sie uns beibringt. Du lernst sogar
meinen Freund, den Hai, kennen.«

»Einen Hai!« schrie Samantha. Die Vorstel-
lung, dieses gefährliche Tier aus den Tiefen des
Ozeans kennenzulernen, jagte ihr schreckliche
Angst ein.

»Hast du Angst?« fragte Delphi.

»Natürlich habe ich Angst!«

»Das mußt du aber nicht, meine kleine
Freundin. Früher oder später wirst du lernen,
die Dinge mit deinen eigenen Augen zu sehen,
um die Wahrheit zu erfahren. Nicht mit den
Augen von irgend jemandem, der noch nie in
der Nähe eines Haies war.«

»Wieso erzählen sie mir dann, daß ein Hai gefährlich ist, wenn sie noch nie einem Hai begegnet sind?«

»Frage nicht mich, Samantha. Frag den, der die Angst vor dem Hai in dein und in sein eigenes Herz gesetzt hat.«

Delphi und Samantha schwammen ins offene Meer hinaus. Samantha war immer noch etwas aufgeregt. Sie hatte aber keine Angst mehr, weil sie wußte, daß Delphi sie beschützen würde. Plötzlich tauchte vor ihnen eine Wasserschildkröte auf.

»Hallo, Schildkröte«, sagte Delphi.

»Hallo, Delphi«, antwortete die Wasserschildkröte.

»Ich möchte dir jemanden vorstellen, Schildkröte«, sagte Delphi. »Sie heißt Samantha und ist auf der Suche nach der wahren Freundschaft.«

»Hallo, Samantha«, sagte die Schildkröte und blickte sie an. »Es gibt eine Weisheit, die ich dir gerne mitteilen möchte.«

»Und wie lautet sie?«

Liebe jemanden,
und du wirst wiedergeliebt werden!

»Danke, Frau Schildkröte!« sagte Samantha.

»Das habe ich wirklich gern getan«, sagte die Schildkröte. »Jetzt muß ich aber weiterziehen. Es war schön, dich kennenzulernen, schöne Samantha.«

Samantha und Delphi setzten ihre Reise fort. Es macht so viel Spaß, dachte Samantha. Die Welt ist voller kluger Wesen, die viele kostbare Weisheiten in sich tragen.

Plötzlich tauchte aus einer Welle, mit einem Riesenspritzer, ein stattlicher Schwertfisch auf.

»Hallo, Schwertfisch«, sagte Delphi.

»Hallo, Delphi«, antwortete der Schwertfisch.

»Was machst du denn gerade?« fragte Delphi.

»Ach, ich amüsiere mich damit, in den Wellen zu planschen.«

»Wie schön für dich«, sagte Delphi. »Schwertfisch, ich habe eine Freundin mitgebracht. Ihr Name ist Samantha. Sie möchte gerne herausfinden, was ein echter Freund ist.«

»Hallo, Samantha«, sagte der Schwertfisch.

»Hallo, Herr Schwertfisch«, antwortete Samantha.

»Samantha, hier ist ein Geheimnis, das ich dir verraten möchte.«

»Welches?« fragte Samantha.

Das Gestern ist Geschichte,
das Morgen ist ein Rätsel,
das Heute ist ein Geschenk,
das wir miteinander teilen sollten.

»Danke, Herr Schwertfisch. Das werde ich nie vergessen«, sagte Samantha glücklich.

»Gern geschehen. Nun werde ich wieder spielen.« Und schon verschwand der Schwertfisch in der Tiefe des Meeres.

»Du hast so viele gute Freunde, Delphi«, sagte Samantha begeistert.

»Ja, ja, sie sind schon in Ordnung, Samantha, aber keiner ist so wie du.«

Sie zogen weiter. Plötzlich glitt vom Himmel ein riesiger Albatros, schwebte knapp über der Meeresoberfläche dahin und umkreiste sie.

»Hallo, Albatros«, sagte Delphi.

»Hallo, Delphi«, antwortete der Albatros.

»Albatros, ich habe eine Freundin mitgebracht. Sie heißt Samantha. Meinst du, du könntest ihr wohl etwas über die wahre Freundschaft erzählen?«

Der Albatros schaute das schöne Mädchen lange an.

»Samantha, ich habe einen Schatz für dich, den ich dir gerne mitteilen möchte.«

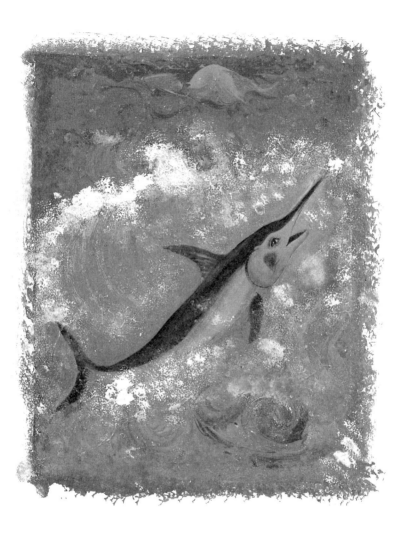

Wahre Freunde
respektieren einander,
auch wenn sie nicht
immer einer Meinung sind.

»Ich danke Ihnen sehr, Herr Albatros«, sagte Samantha. »Ich werde nie vergessen, was Sie mir gerade gesagt haben.«

»Das ist schön, Samantha«, sagte der Albatros. »Betrachte die Dinge mit deinen eigenen Augen und fühle mit deinem eigenen Herzen. Dann wirst du das wahre Glück finden. Auf Wiedersehen!«

Der Albatros stieg wieder in die Lüfte und verschwand hinter den schneeweißen Wolken.

Delphi und Samantha reisten weiter durch das smaragdgrüne Meer. Samantha hatte nun keine Angst mehr. Sie hatte die Wahrheit mit eigenen Augen gesehen und in ihr Herz aufgenommen, was sie von den Tieren gelernt hatte.

Es dauerte nicht lange, da tauchte direkt unter Delphi ein schwarzer Schatten auf.

»Hallo, Manta.«

»Hallo, Delphi.«

Der Manta-Rochen war riesig. Er glitt durch das Wasser, und Samantha spürte, daß der Fisch, trotz seiner Größe, sehr bescheiden war.

»Hallo, Herr Manta. Ich heiße Samantha. Delphi hat mich auf eine Reise durch das Meer mitgenommen, damit ich etwas über die Freundschaft lernen kann.«

Der Manta-Rochen schaute Samantha mit gütigen und warmen Augen liebevoll an und sagte:

Freunde brauchen einander
wie die Blumen den Regen,
um zu blühen und ihre Schönheit zu zeigen.
Freundschaft muß sorgfältig
gepflegt werden.

Sprach es und verschwand wieder, so schnell wie er gekommen war.

Es dämmerte bereits. Delphi dachte, daß es Zeit war, Samantha wieder zum Strand zurückzubringen.

Einige Sterne funkelten schon am Himmel.

»Es ist so schön hier«, sagte Samantha. »Ich danke dir, Delphi, daß ich diese wunderbaren Augenblicke mit dir zusammen erleben darf«.

»Du mußt dich dafür nicht bedanken, Samantha. Du hast die Wahrheit mit eigenen Augen sehen können. Wahre Freunde gibt es überall, solange man sich gegenseitig respektiert und die schönen Dinge miteinander teilen kann.«

Sie waren schon fast an der Küste, als plötzlich ein schwarzer Schatten auf sie zukam.

»Hallo, Hai«, sagte Delphi.

»Hallo, Delphi.«

Samantha geriet in Panik. Haie fressen doch Delphine, und sie fressen Menschen, dachte sie. Was sollen wir nur tun?

»Fürchtest du dich vor mir?« fragte der Hai und schaute Samantha an.

»Ja, ein bißchen«, sagte Samantha und zitterte noch immer.

»Hab keine Angst«, sagte der Hai. »Weißt du, wir sind eben Tiere. Wir wurden als Haie geboren und brauchen etwas zu fressen, wie alle anderen Tiere auch. Aber wir tun das nicht, weil wir grausam sind. Das ist nur unser Instinkt. Und wir fressen nur, wenn wir etwas brauchen«.

»Sie werden uns also nichts tun?«

»Aber nein, natürlich nicht«, sagte der Hai und sah plötzlich ganz melancholisch aus.

»Was ist los mit Ihnen, Herr Hai?« fragte Samantha.

»Samantha, es ist traurig, ein Hai zu sein. Alle haben Angst vor uns, und wir können nichts dagegen tun. Weißt du, wir sind doch auch Lebewesen, die Freunde brauchen, wie alle anderen auch.«

Vorsichtig berührte Samantha den Hai.

»Ich bin Ihre Freundin«, sagte sie liebevoll.

Der Hai zögerte. »Bist du sicher, daß du meine Freundin sein willst, Samantha?«

»Aber sicher«, sagte Samantha. »Glauben Sie mir, Herr Hai. Ich weiß, wie es ist, wenn man sich einsam fühlt. Und ich will nicht, daß Sie sich einsam fühlen. Ich will immer Ihre Freundin sein.«

»Ich danke Dir, Samantha!« rief der Hai überglücklich.

Dann wandte er sich an Delphi.

»Danke, Delphi, daß du mir so einen schönen Tag geschenkt hast.«

»Aber gern geschehen, Hai. Ich kenne dein wahres Wesen. Das genügt mir, dich zu respektieren und dein Freund zu sein. Könntest du Samantha vielleicht noch etwas aus dem Schatz deiner Weisheit mit auf den Weg geben?«

»Aber natürlich«, sagte der Hai.

Er blickte Samantha an, und zum ersten Mal hatte sie keine Angst mehr vor einem Hai, weil sie mit ihren eigenen Augen bis in sein Herz blicken konnte.

»Samantha, ich möchte dir ein Geheimnis verraten«, sagte der Hai.

»Ja?«

*Nicht immer ist alles
so wie es scheint.
Ein wahrer Freund gibt
lieber als er nimmt.
Wir alle brauchen Freunde,
egal, was und wer wir auch sind.*

»Danke schön und auf Wiedersehen, Herr Hai«, rief Samantha glücklich.

VIII

Der Sommer neigte sich langsam dem Ende entgegen, und das Wasser wurde wieder kälter. Immer näher rückte der Zeitpunkt, zu dem die Delphine in wärmere Gewässer aufbrechen mußten, da sie hier nicht mehr genügend Nahrung finden würden.

Delphi und Samantha genossen noch einmal einen wunderschönen Nachmittag an Samanthas zauberhaftem Strand. Die Sonne ging langsam unter.

»Warum bist du so still?« fragte Samantha.

»Weil ich im Moment nichts zu sagen habe. Weißt du, Samantha, manchmal sind gute Freunde enger verbunden, wenn sie miteinander schweigen. Das ist oft schöner, als nur über Belangloses zu reden. In der Stille kann man besser auf seine innere Stimme hören, um zu erfahren, wer man wirklich ist. Heb eine Muschel auf«, sagte Delphi.

Samantha nahm eine wunderschöne Muschel und hielt sie vorsichtig an ihr Ohr.

Zwei Freunde in der Stille
sagen manchmal mehr
als tausend Worte.

Aber Samantha wußte, was passieren würde. Sie spürte, wie das Wasser jeden Tag kälter wurde.

»Du mußt wieder fort, nicht wahr«, sagte sie.

»Ja«, sagte Delphi. »Das Wasser wird jetzt wieder kälter, und ich muß mit den anderen in wärmere Gewässer ziehen.«

»Werde ich dich wiedersehen, Delphi?« fragte Samantha. Langsam lief eine Träne ihre Wange hinunter.

»Ich weiß es nicht, Samantha. Vergiß einfach das Wichtigste nicht, das wir während unserer ganzen Freundschaft gelernt haben.«

»Was meinst du damit?«

»Nimm eine Muschel, Samantha.«

Dieses Mal nahm sie eine wunderschöne, rosafarbene Muschel und hielt sie vorsichtig an ihr Ohr.

*Für wahre Freunde
gibt es keinen Ort,
der zu weit weg ist.*

Ein prachtvoller Regenbogen strahlte am Himmel. Delphi und Samantha betrachteten ihn voller Ehrfurcht.

Und beide wußten, daß sie in ihren Herzen immer zusammen sein würden, egal, wo auch immer sie gerade waren. Und zum ersten Mal in ihrem Leben spürte Samantha, daß sie niemals wieder einsam sein würde.

Samantha hatte außerdem gelernt, daß die Welt voll von liebenswerten Lebewesen war, die nun ihre Freunde waren. Und daß sie nur an einen von diesen Freunden denken müßte und sich nie mehr einsam und allein fühlen würde. Sie hatte auch gelernt, daß es manchmal ein Segen ist, allein zu sein, weil man dann die wahren Freunde erst so richtig schätzenlernt.

Und schließlich hatte Samantha mit Delphis Hilfe erfahren, daß Freundschaft das wertvollste Geschenk ist, das man sich geben kann.

»Und was ist nun das Geheimnis der wahren Freundschaft?« fragte Samantha.

»Alles, was wir bei unseren wunderbaren Abenteuern gemeinsam erlebt haben«, sagte Delphi. »Einander zu respektieren und immer füreinander dazusein, wenn man sich braucht, in guten und in schlechten Zeiten.«

»Freundschaft ist das kostbarste Geschenk,

das man miteinander teilen kann, egal wer man ist und woher man kommt«, antwortete Samantha.

»Aber manchmal, Samantha, wollen die Menschen ihren Träumen nicht glauben. Dann schlafen die Träume wie Schatten auf einem einsamen Grab.«

Aber das ist dann eine andere Geschichte, dachte Samantha. Wie wunderschön die Welt doch ist! Und sie wird noch schöner, wenn man sie mit Freunden teilen kann!

»Auf Wiedersehen, Delphi«, sagte Samantha. »Nun kann ich wieder in meine Welt zurückkehren und die schönen Dinge des Lebens gemeinsam mit all denen erleben, die dazu bereit sind.«

»Mach's gut, verwandte Seele!« antwortete Delphi und schwamm zurück zu seiner Schar, um in wärmere Gewässer zu ziehen.

Samantha winkte Delphi zum letzten Mal. Und als sie zurückging, um ihren Eltern zu erzählen, was sie erlebt und entdeckt hatte, hörte sie noch einmal das Flüstern einer verlorenen Zaubermuschel.

Wahre Freunde erleben alles gemeinsam,
die zauberhaften Momente,
die das Leben dir schenkt,
und auch die einfachen Dinge,
die jeden Tag so lebenswert machen.
Geh, wohin dein Weg dich führt,
und sag es jedem!

Sergio Bambaren

Der träumende Delphin
Eine magische Reise zu dir selbst. Aus dem Englischen von Sabine Schwenk. 95 Seiten mit 10 farbigen Illustrationen von Heinke Both. SP 2941

Was du tust ist wichtig, wichtiger aber ist, wovon du träumst – und daß du an deine Träume glaubst. Dies ist die Botschaft, die wir von dem träumenden Delphin lernen können. Wie einst »Die Möwe Jonathan« hat dieses Buch unzählige Leserinnen und Leser auf der ganzen Welt begeistert.
Der junge Delphin Daniel Alexander ist ein Träumer: Er ist davon überzeugt, daß es im Leben mehr gibt als Fischen und Schlafen, und so verbringt er seine Tage damit, auf den Wellen zu reiten und nach seiner eigenen Bestimmung zu suchen. Eines Tages spricht die Stimme des Meeres zu ihm und verkündet, Daniel werde den Sinn des Lebens finden, wenn ihm die perfekte Welle begegnet. So beschließt der junge Delphin, das sichere Riff zu verlassen. Auf seiner langen Reise trifft er nicht nur viele andere Fische und einige menschliche Wellenreiter, sondern schließlich auch die perfekte Welle ... Sergio Bambaren erzählt eine wunderbare Geschichte über unseren Mut, unsere Ängste und unsere persönlichen Grenzen – ein Plädoyer für die Suche nach dem Sinn des Lebens und die Realisierung der eigenen Träume.

»Eine hinreißende Geschichte mit wunderschönen Illustrationen.«
MAX

Ein Strand für meine Träume
Aus dem Englischen von Elke von Scheidt. 160 Seiten mit 10 farbigen Illustrationen von Heinke Both. SP 3229

Dieser liebevoll illustrierte Band erzählt, wozu wir tief im Innersten fähig sind, wenn wir auf die Stimme unseres Herzens hören: wie John, der in seinem Leben fast alles erreicht hat und dem nur noch eines fehlt – das persönliche Glück. Als er es wagt, loszulassen und zu verzichten, findet er nicht nur den Strand seiner Träume, sondern auch den Schlüssel zum eigenen Glück.

SERIE PIPER

Sergio Bambaren
Das weiße Segel
Wohin der Wind des Glücks dich trägt.
192 Seiten. Mit 10 farbigen
Illustrationen von Heinke Both. Geb. Aus dem
Englischen von Barbara Röhl.

Nach »Der träumende Delphin«, der die
Menschen auf der ganzen Welt begeistert hat,
macht auch Sergio Bambarens neues Buch Mut,
sich seine Träume zu erfüllen:
Wie Kate und Michael, deren Leben in der
Sackgasse zu stecken scheint – bis sie bereit sind,
sich auf ein echtes Abenteuer einzulassen, und
von Neuseeland zur großen Reise ins Ungewisse
aufbrechen. Mit ihrem Segelschiff *Distant Winds*
entdecken sie die zauberhafte Welt des
Südpazifiks und lernen so magische Orte wie die
Fidschiinseln und Tonga kennen.
Doch die kostbarste Erfahrung, die die beiden
unterwegs machen, führt sie an ein Ziel zurück,
das schon fast verloren war: zu sich selbst und
ihrer Liebe füreinander.

KABEL

Lieve Joris

Mali Blues

Ein afrikanisches Tagebuch. Aus dem Niederländischen von Ira Wilhelm und Jaap Grave.
313 Seiten. SP 2977

Was macht Lieve Joris' Erzählungen über fremde Länder so besonders berührend? Sie *lebt* mit den Menschen an den Orten, bevor sie über sie schreibt. Die Afrikaner, die sie auf ihren Reisen trifft, sind Überlebenskünstler, die Zauberei, Tradition und Moderne zu vereinbaren wissen. Der politischen Unfähigkeit ihrer Regierungen bewußt, nehmen sie mit Mut und viel Humor ihr Leben selbst in die Hand – wie der junge Amadou aus einer kleinen Stadt am Ufer des Senegal, der sich als einziger Besitzer eines Fernsehapparats in seiner Nachbarschaft eine gute Einnahmequelle verschafft hat. Oder der Schulinspektor Sass, mit dem die Autorin die Wüste Südmauretaniens durchqueren will und der erst einmal warten muß, bis ein paar pfiffige Automechaniker auf Kamelen angeritten kommen und seinen Toyota reparieren. Lieve Joris schildert die Hoffnung und die Poesie dieses Kontinents.

Die Tore von Damaskus

Eine arabische Reise. Aus dem Niederländischen von Barbara Heller. 301 Seiten. SP 3088

Wie ein Roman liest sich die Geschichte der jungen syrischen Soziologin Hala, die mit ihrer Tochter Asma allein in Damaskus lebt. Zwölf Jahre zuvor hatte die Geheimpolizei bei einer Razzia Halas Wohnung gestürmt und ihren Mann Ahmed verhaftet – er war Marxist. Halas Leben wird nun bestimmt von der konservativen Familie ihres Mannes, der wechselhaften Tagespolitik und ihrem eigenen Wunsch nach einem selbständigen, unabhängigen Leben. Lieve Joris begleitet sie auf ihren Fahrten kreuz und quer durchs Land, wo sich karge Wüstenlandschaften und üppige Oasen abwechseln, modernste Großstädte und kleine Dörfer. Hinter dieser farbenprächtigen Welt verbirgt sich jedoch Halas Lebenstragödie, denn längst hat sie aufgehört, ihren Mann zu lieben. Nun aber steht eine Amnestie bevor und damit auch die Rückkehr von Ahmed …

SERIE PIPER